"LA GRAVITÉ EST LE BONHEUR DES IMBÉCILES"
CHARLES DE MONTESQUIEU

"T'AS RAISON, L'APESANTEUR C'EST PLUS RIGOLO"
HÉBUS DE PHALOMPE

© GÉRONIMO / ARLESTON / TARQUIN
Soleil Productions
247 Avenue de la République
83000 Toulon - France

Bureaux parisiens
81, Bd Richard Lenoir - 75011 Paris - France

Maquette : Studio Soleil
D'après une conception graphique de Didier Gonord
Lettrage : Guy Mathias

Dépôt légal décembre 2001 - ISBN : 2 - 84565 - 221 - 6

Tous droits de traduction, d'adaptation
et de reproduction strictement réservés pour tous pays.

Photogravure : Quadriscan - 04 - France
Impression : Lesaffre - Tournai - Belgique

Un grand merci à Lyse pour son précieux coup de main.
Les Auteurs

Lanfeust des Étoiles

TOME 1 – UN, DEUX... TROY

SCÉNARIO
CHRISTOPHE ARLESTON
DESSINS
DIDIER TARQUIN
COULEURS
CLAUDE GUTH

SI VOUS N'AVEZ PAS ENCORE LU LE CYCLE DES AVENTURES DE LANFEUST DE TROY, IL EST SANS DOUTE JUDICIEUX DE FAIRE CONNAISSANCE AVEC NOS PRINCIPAUX PERSONNAGES ...

LANFEUST EST NOTRE HÉROS. GRÂCE AU MYTHIQUE MAGOHAMOTH, CE GRAND DADAIS POSSÈDE D'IMMENSES POUVOIRS. DE JEUNE APPRENTI FORGERON UN PEU EMPOTÉ, IL EST DEVENU L'HOMME LE PLUS PUISSANT DE TROY. AUJOURD'HUI, IL PARCOURT LES CHEMINS DE LA PLANÈTE, À LA RECHERCHE D'AVENTURES. MAIS IL EST TOUJOURS AUSSI TIMIDE ET IL NE SAIT PAS DIRE NON À SA FIANCÉE, LA BELLE CIXI.

CIXI, LA BELLE ET FAROUCHE BRUNETTE, EST UNE JEUNE FILLE DANGEREUSE. DANS LE RÔLE DE L'OMBRE TÉNÉBREUSE, LA JUSTICIÈRE D'ECKMÜL, ELLE A PROUVÉ SON COURAGE ET SES TALENTS DE COMBATTANTE. CE QUI NE L'EMPÊCHE PAS D'ÊTRE COQUETTE, D'APPRÉCIER LA LÉGÈRETÉ, ET SURTOUT D'ÊTRE D'UNE JALOUSIE MALADIVE. DÈS QU'UNE AUTRE FILLE S'APPROCHE DE SON FIANCÉ, LANFEUST.

HÉBUS EST UN TROLL. ET ÇA SE VOIT. CRÉATURE REDOUTABLE ET IMPITOYABLE, IL PEUT, D'UN SIMPLE COUP DE DENTS, BRISER LES OS DE N'IMPORTE QUEL DRAGON. POUR ÊTRE FIDÈLE À UN HOMME, UN TROLL DOIT AVOIR ÉTÉ ENCHANTÉ. CE FUT LE CAS D'HÉBUS, MAIS DEPUIS SON PASSAGE CHEZ LES DIEUX DU DARSHAN, IL EST RÉELLEMENT ATTACHÉ À LANFEUST, SANS ARTIFICE. JOYEUX COMPAGNON ET BON VIVANT, IL NE CRAINT QU'UNE CHOSE, L'EAU. ÇA POURRAIT LE LAVER, ET SES MOUCHES EN SERAIENT FÂCHÉES.

THANOS EST UN PERSONNAGE SÉDUISANT, MAIS DANGEREUX. PIRATE, BARON FÉLON, SAGE DÉFROQUÉ, ANCIEN AMANT DE CIXI, IL POSSÈDE LES MÊMES POUVOIRS QUE LANFEUST, MAIS PAS ENCORE DE FAÇON PERMANENTE. POUR LE MOMENT, APRÈS AVOIR ÉTÉ VAINCU PAR LANFEUST, IL CROUPIT DANS LES GEÔLES D'ECKMÜL, ISOLÉ DANS UNE BULLE QUI LE COUPE DE TOUTE SOURCE DE MAGIE.

ÇA VIENT D'OÙ, ÇA ?

BLOT.. BLOT..

J'AI LE NIVEAU D'HABILITATION, JE M'EN OCCUPE.

HOULÀ ! CODE AMBRE GRIS ! C'EST DU CLASSIFIÉ !

EXPÉRIENCE DE LA PLANÈTE TROY, DEUX RÉSULTATS À ANALYSER...

FOUTRE DE SHAKRA ! C'EST DU BRÛLANT !

EYH ! GLACE ! TU VAS OÙ ?

DÉSOLÉE, JE NE PEUX EN PARLER QU'AVEC LE PRINCE DHELLLI.

ÇA, MA PETITE GLACE, C'EST L'OCCASION QUE TU ATTENDAIS DEPUIS DES ANNÉES !

MAIS LES SIGNAUX, ÇA S'INTERCEPTE...

CZIIT.. CZIIT..

LIEUTENANT BOMFAAR, VOUS L'AVEZ DÉCODÉ ?

VOILÀ UNE TRANSCRIPTION, AMIRAL.

VÉROLE ORBITALE ! ET ILS SONT DEUX, EN PLUS !

VOUS FERIEZ QUOI, LIEUTENANT ?

COMME VOUS, AMIRAL.

ALORS, Z'ÊTES CRUEL, LIEUTENANT !

EFFICACE, AMIRAL.

PRÉVENEZ ABRAXAR ET DITES-LEUR QU'ON VA NETTOYER LE PROBLÈME.

AVEC PLAISIR, AMIRAL.

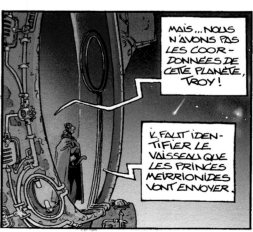

MAIS... NOUS N'AVONS PAS LES COORDONNÉES DE CETTE PLANÈTE, TROY !

K'FAUT IDENTIFIER LE VAISSEAU QUE LES PRINCES MEYRRIONIDES VONT ENVOYER.

À UN GROS TAS D'ANNÉES-LUMIÈRE DE LÀ, SUR TROY, PERSONNE NE SE DOUTE VRAIMENT DE L'IMMENSITÉ DE L'UNIVERS... OU ALORS, PAS À JEUN, EN TOUT CAS.

LANFEUST, FANTASTIQUE HÉROS SAUVEUR D'ECKMÜL ET HÉBUS LE TROLL, BATIFOLAIENT À TRAVERS LA CAMPAGNE.

J'EN AI MARRE !

DE QUOI TU TE PLAINS ? LA VIE EST BELLE, LE CIEL EST BLEU, ON EST PEINARDS...

JUSTEMENT !

APRÈS TOUS CES MOIS PASSÉS À ECKMÜL OÙ TOUT VA BIEN, JE M'ENNUYAIS...

MÂCHE MÂCHE !

MÂCHE MÂCHE !

C'EST POUR ÇA QUE J'AI VOULU ALLER METTRE MON POUVOIR AU SERVICE DE TOUS CEUX QUE JE POUVAIS AIDER...

BR!! CROC BOUF

EH OUI, L'AVENTURE, ON Y PREND VITE GOÛT !

ET DEPUIS QU'ON SILLONNE LE PAYS, RIEN !

PAS LE MOINDRE DRAGON TERRIBLE À POURFENDRE, PAS LA MOINDRE PRINCESSE À SAUVER...

PAS LE MOINDRE TROLL SAUVAGE À ENCHANTER...

À L'AIDE ! À L'AIDE ! AU SECOURS !

MAIS...

PAR PITIÉ ! VIIIITE !

MROOOOO

GOTTFERDOM !

QUE SE PASSE-T-IL ?

C'EST HORRIBLE !

C'EST GLIPPY ! BOUHOUHOUHOU !

?

C'EST TON PETIT FRÈRE ? UN MONSTRE VOUS A ATTAQUÉS ?

HEU...

GLIPPY ! IL EST MONTÉ LÀ-HAUT, IL NE PEUT PLUS DESCENDRE !

!

MEOU!

MEOW!

GLIPPY, TU VEUX DIRE...

OUI, C'EST LUI, SUR LA BRANCHE !

AH, BIEN SÛR, GLIPPY.

VOUS ALLEZ M'AIDER, HEIN, M'SIEUR ?

WORF WORF WORF WORF

MEOW?

NE CRAINS RIEN...

HO!

M'OI!

CHOP!

ÇA A L'AIR BON !

HÉBUS!

MIAM!

KI!!

CLAC!

MÊME PÔ DRÔLE.

MON GLIPPY!

MEOW

ALLEZ, BOUDE PAS ! IL DOIT BIEN Y AVOIR UNE TAVERNE À ASSÉCHER DANS CE VILLAGE !

MON PAPA A UNE AUBERGE ! IL SERA CONTENT D'ACCUEILLIR DES HÉROS !

TRILALI LA LAAA

AU VAILLANT VIGNERON

VOILÀ UN ENDROIT TOUT À FAIT SYMPATHIQUE !

OUI...

MAIS ÇA MANQUE TOUJOURS D'AVENTURE !

HOLÀ TAVERNIER !

UN TONNEAU DE TON MEILLEUR CRU, ET UNE INFUSION POUR LE PETIT.

IMMÉDIATEMENT, MESSIRE !

ET PIS, J'EN AI MARRE, DES INFUSIONS ! ÇA FAIT PAS HÉROÏQUE !

OUI, MAIS VOMIR PARTOUT N'EST PAS BON NON PLUS POUR TON IMAGE.

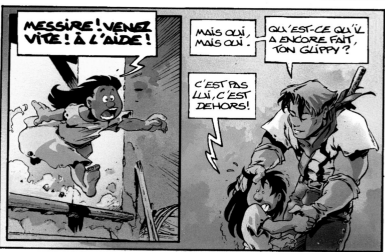

MESSIRE ! VENEZ VITE ! À L'AIDE !

MAIS OUI, MAIS OUI.

QU'EST-CE QU'IL A ENCORE FAIT, TON GLIPPY ?

C'EST PAS LUI, C'EST DEHORS !

!

UN DRAGON GÉANT ATTAQUE LE VILLAGE !

OÙ ÇA ?

QUOI ?

GOTTFERDOM !

LAISSEZ PASSER !

?

IL FAUT SE DÉFENDRE !

GLOUPS !

MAIS, QU'EST-CE QUE TU FAIS ?!?

ON VA AVOIR DU TRAVAIL ET ON N'AURA PAS LE TEMPS DE BOIRE UN COUP !

ALORS, J'ANTICIPE !

PAR LES FORGES DE L'ENFER !

7

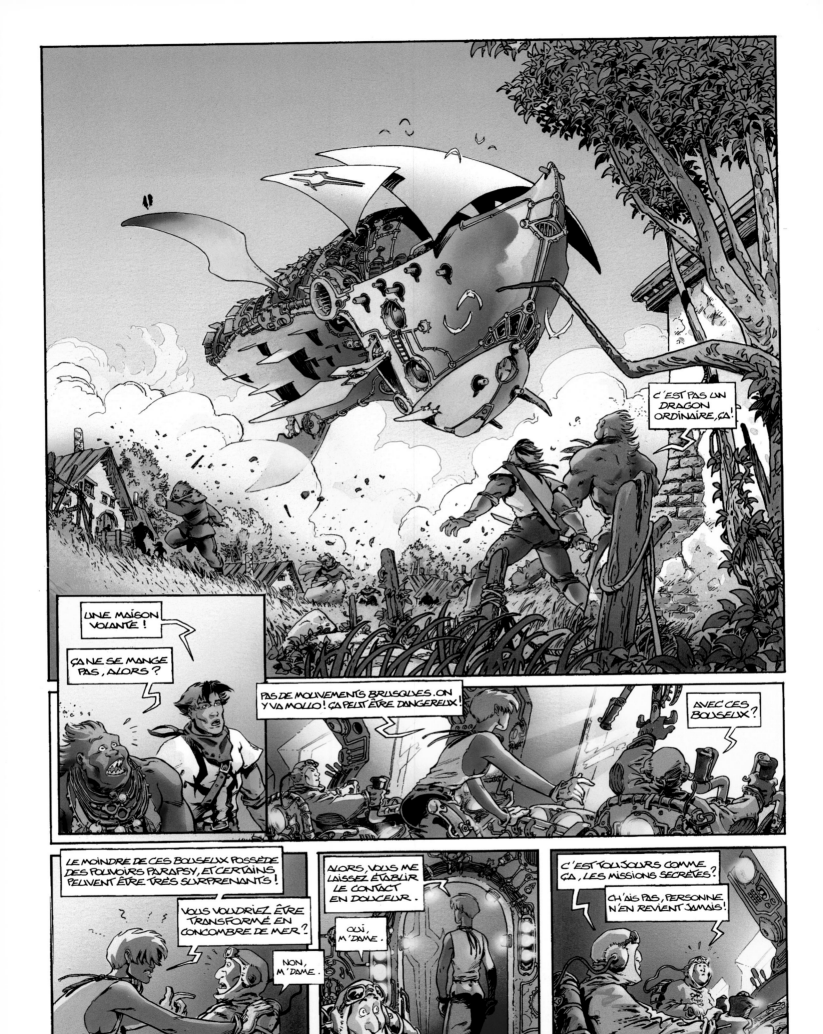

8

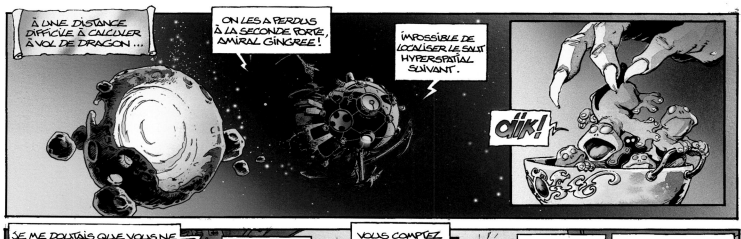

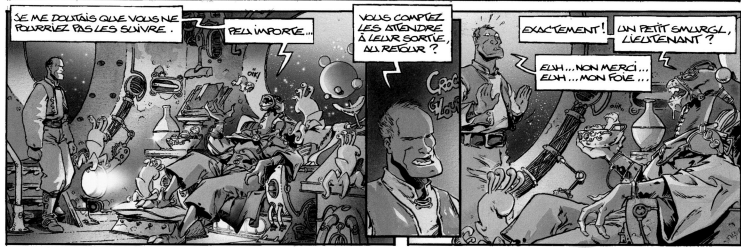

TU T'APPELLES COMMENT, BEAU GOSSE ?

EUH... LANFEUST.

SUPER ! IL FAUT QUE TU VIENNES AVEC MOI, LANFEUST !

J'AI PLEIN DE CHOSES À T'EXPLIQUER.

MAIS...

QUELLE EST LA MAGIE QUI FAIT VOLER CETTE MACHINE ?

OH, C'EST DE LA MÉCANIQUE. C'EST COMME... UN CHARIOT, OU UNE HORLOGE, EN PLUS COMPLIQUÉ.

AH ? LES HORLOGES VOLENT, DANS TON PAYS ?

BEN, PAS VRAIMENT, MAIS... HOLI, ÇA VA ÊTRE FATIGANT, CETTE MISSION, JE SENS !

HALTE ! ON NE PASSE PAS !

VOUS RIGOLEZ ?

BEN, HELI, À VRAI DIRE...

HUK ! HUK ! HUK !

BAF !

ILS RIGOLENT.

OURGNF !

IL EST TOUJOURS COMME ÇA, TON AMI ?

IL A HORREUR QU'ON LE CONTRARIE.

BON, JE SUPPOSE QU'IL FAUT LE GARDER AVEC NOUS, ALORS !

HOP ! ON Y VA !

EH ! QU'EST-CE QUI SE PASSE ?

EH BIEN, ON DÉCOLLE ! J'AI UN AUTRE TYPE À RÉCUPÉRER.

10

CE N'EST PAS EN VOUS LAISSANT DISTRAIRE COMME ÇA QUE VOUS DEVIENDREZ SAGE D'ECKMÜL!

OH LA FERME!

TRÈS BIEN. ÉLÈVE DISSIPÉE. JE LE NOTE.

VOTRE PÈRE, LE VÉNÉRABLE NICOLÈDE, SERA TRÈS DÉÇU.

TIENS, TIENS! DE L'IMPRÉVU DANS LA ROUTINE D'ECKMÜL!

UN CHÂTEAU VOLANT!

MAIS NON, C'EST JUSTE UN ...UN...

GGZZ

UN QUOI?

JE NE SAIS PAS.

EUH, BONJOUR, CIXI ...

LANFEUST!

FIGURE-TOI QUE MFFFF...

BAF!

ET ÇA, C'EST POUR M'AVOIR LAISSÉE HUIT SEMAINES SANS NOUVELLES!

ÇA N'AURAIT PAS ÉTÉ COMPLIQUÉ DE TE TÉLÉPORTER UNE NUIT DE TEMPS À AUTRE, POUR ME RÉCONFORTER!

MAIS, MA CHÉRIE, ÇA N'AURAIT PAS VRAIMENT ÉTÉ L'AVENTURE, TOUT ÇA ...

QU'EST-CE QU'ON FAIT? ON SORT?

ON ATTEND QUE LES FEMELLES INDIGÈNES AIENT FINI DE DONNER DES BAFFES.

C'EST ICI! L'AUTRE EST LÀ-DEDANS!

BIP...BIP!!

SALUT, BELLE ENFANT.

BIP BIP

12

ON SE DEMANDE PARFOIS POURQUOI, POUR LES AFFAIRES IMPORTANTES, LES VÉNÉRABLES D'ÉCKMÜL SE RÉUNISSENT DANS LA BIBLIOTHÈQUE. EN RÉALITÉ, LE PROBLÈME EST INVERSE : COMME TOUS LES INTELLECTUELS DE L'UNIVERS, ILS ONT PETIT À PETIT ACCUMULÉ DES TAS ET DES TAS DE LIVRES DANS LEUR SALLE DE RÉUNION !

VOUS DITES VENIR D'UNE AUTRE PLANÈTE, MADE-MOISELLE GLACE ?!

INCROYABLE !

À L'HEURE ACTUELLE, ON COMPTE PLUSIEURS MILLIERS DE PLANÈTES HABITÉES PAR L'HOMME. ET ON EN CONNAÎT DIX FOIS PLUS QUI ABRITENT DES ÊTRES INTELLIGENTS.

D'AUTRES ESPÈCES INTELLIGENTES ?

OUI, POURQUOI ? TU PENSAIS ÊTRE AU SOMMET DE L'ÉVOLUTION, MON MIGNON PETIT CŒUR ?

"PETIT" CŒUR ?

PAS PERSONNEL-LEMENT, MAIS...

CIXI ! NON !

CIXI ! ARRÊTE IMMÉDIATEMENT !

'AI 'A 'ANGUE 'ONGELÉE !

HÉ !

AH AH AH ! TOUJOURS AUSSI JALOUSE, CIXI !

!

EUH, JE SUIS DÉSOLÉ ! ELLE EST UN PEU... SPONTANÉE, QUOI.

OURMF !

SI JE GÊNE, JE VOUS LAISSE !

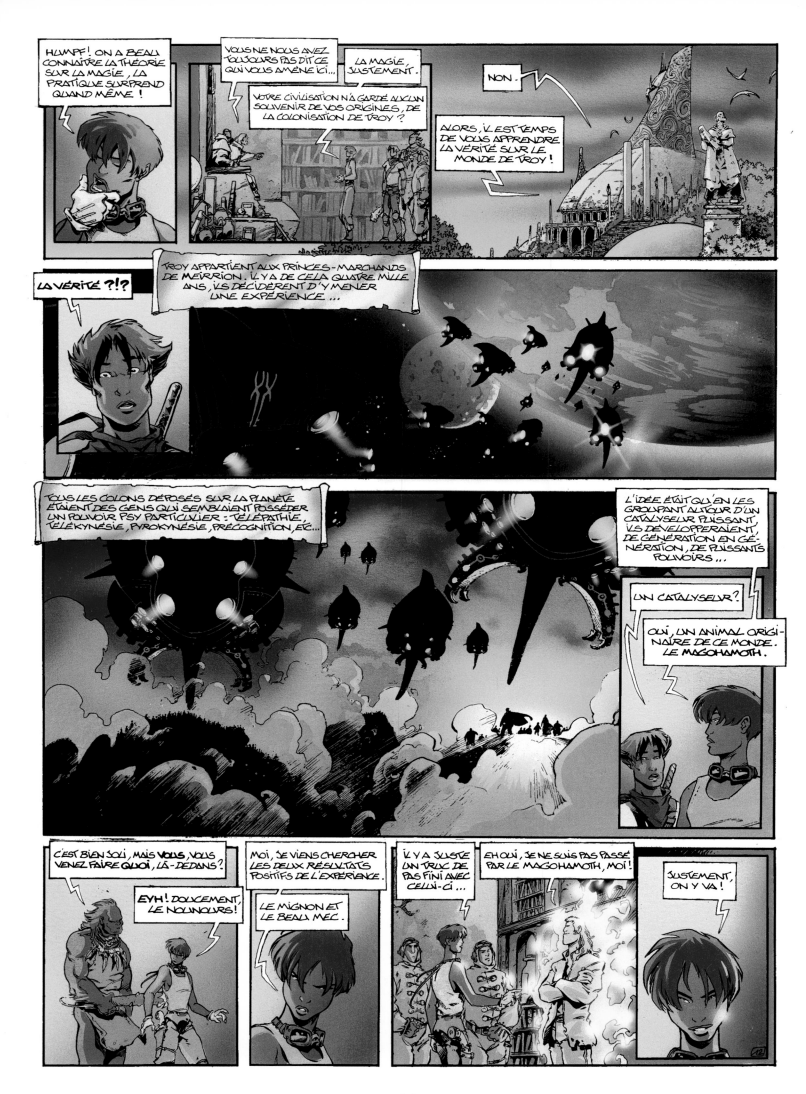

JE SUIS DÉSOLÉ, MAIS JE NE PEUX PAS VOUS LAISSER FAIRE ÇA.

BZZ...

RONFL!

BEN OUI, THANOS, C'EST UN MÉCHANT!

SI THANOS BÉNÉFICIE À SON TOUR DU POUVOIR ABSOLU, CE MONDE SERA DE NOUVEAU EN DANGER!

JE NE CROIS PAS. IL EST INTELLIGENT ET AMBITIEUX. IL A DÉJÀ COMPRIS QU'IL Y A MIEUX À FAIRE DANS LA GALAXIE QUE RÉGNER SUR UN MONDE DE BOUSEUX.

SANS RIEN DE PÉJORATIF POUR LES BOUSEUX, BIEN SÛR.

DE TOUTE FAÇON, JE SAIS COMMENT LE MAÎTRISER. PENDANT QUE JE SUIS ENCORE LE SEUL À POSSÉDER LE POUVOIR, JE DOIS LÉGÈREMENT MODIFIER SON CERVEAU...

QUOI QU'IL ARRIVE, DÉSORMAIS, MA MAGIE SERA TOUJOURS PLUS PROMPTE À AGIR QUE LA TIENNE.

AAAAARGH!

ALLEZ, ASSEZ SACASSÉ, LES GARÇONS, IL FAUT Y ALLER!

C'EST QUE J'AURAIS AIMÉ FAIRE MES ADIEUX...

ET PUIS CIXI, SURTOUT!

TOUS MES AMIS, C'IAN, LE BARON...

T'INQUIÈTE, MON P'TIT COEUR, JE TE RAMÈNERAI BIENTÔT. ON N'EN A PAS POUR LONGTEMPS.

NICOLÈDE! VOUS...

JE LUI EXPLIQUERAI, PROMIS.

MERCI.

Y'A QUOI À MANGER DANS VOTRE GALAXIE?

EUH, PLEIN DE GENS.

DE LA VIE SUR D'AUTRES MONDES, UN UNIVERS ENTIER À DÉCOUVRIR...

LANFEUST DE GLININ, J'AURAIS DONNÉ CHER POUR ÊTRE À TA PLACE!

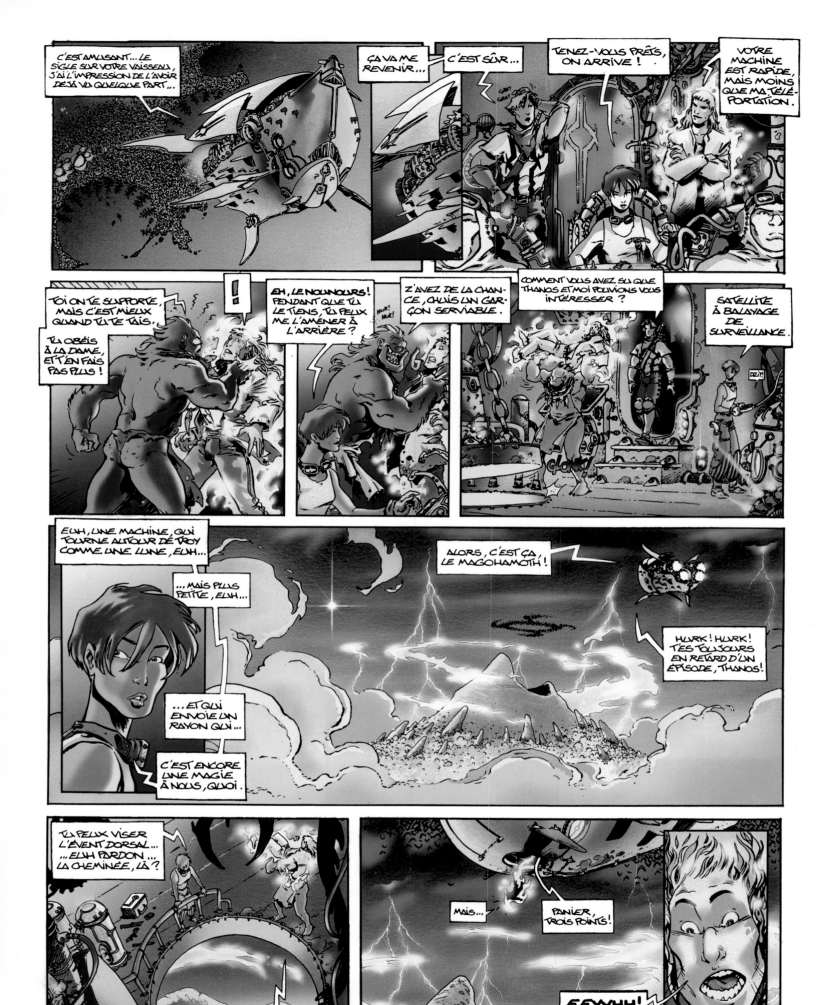

JE T'ATTENDAIS...

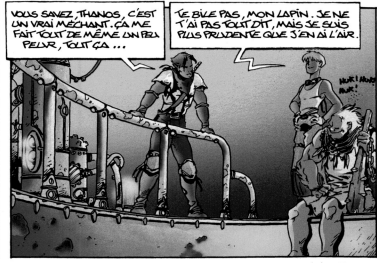

VOUS SAVEZ, THANOS, C'EST UN VRAI MÉCHANT. ÇA ME FAIT TOUT DE MÊME UN PEU PEUR, TOUT ÇA...

TE BILE PAS, MON LAPIN. JE NE T'AI PAS TOUT DIT, MAIS JE SUIS PLUS PRUDENTE QUE J'EN AI L'AIR.

HUK! HUK! HUK!

IL Y A QUAND MÊME UN TRUC QUE JE NE COMPRENDS PAS... D'OÙ L'ANCÊTRE OR-AZUR A-T-IL SORTI SON MORCEAU D'IVOIRE ?

L'ÉNERGIE DU MAGOHAMOTH PERMET LA MATÉRIALISATION DE PROJECTIONS SUBCONSCIENTES.

HEING ?

EUH... LUI PENSER TRÈS FORT VOIR GROS MONSTRE AVEC DENTS, ALORS DENTS EXISTER VRAIMENT.

TOI COMPRENDRE ?

EYHH !

SHBLOAR !

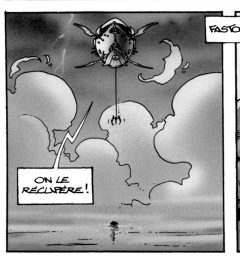

ON LE RÉCUPÈRE !

FASTOCHE !

UN PEU PLUS À GAUCHE...

JE L'AI !

KATCH !

ATTENTION ! Y'A TROP DE SECOUSSES !

RGNN...

MILLE COMÈTES ASSÉCHÉES !

CLAC !

À MOI ! À MOI !

EYH ! J'AVAIS PAS FINI !

SPDAC !

T'AS RATÉ TON TOUR, MAINTENANT, TU LAISSES JOUER LES AUTRES !

PLACE AU CHAMPION DU MONDE !

HUK! HUK! HUK!

15

ADMIREZ UN PEU...

MAÎTRISE, EFFICACITÉ...

TOUT EN DOUCEUR...

LIVRAISON TERMINÉE!

LA PROCHAINE FOIS QUE VOUS NE SAVEZ PAS UN TRUC, LES GARS, DEMANDEZ-MOI!

EUH...

PRENDS ÇA ET OUVRE LE COCON, MOI, JE M'OCCUPE DU DÉCOLLAGE.

GNF! C'EST SOLIDE, CE TRUC! T'AS PAS PLU-TÔT UN VRAI COUTEAU!

APPUIE SUR LE BOUTON ET ENLÈVE TES MAINS DU DESSUS.

AH?

LE BOUTON, ÇA DOIT ÊTRE ÇA...

C'EST UNE LAMPE MAGIQUE!

Y'A UN GÉNIE DEDANS?

WOOZZ!

DZT...

DES GÉNIES, ON EN MANQUAIT AVANT DE TE CONNAÎTRE, PIS MAINTENANT, ON EN MANQUE TOUJOURS.

C'EST UN COUTEAU À FIL MOLÉCULAIRE.

IL EST ASSEZ PRÉCIS POUR COUPER UN CHEVEU EN DEUX DANS LE SENS DE LA LONGUEUR...

UNE ENCLUME OU UN ROCHER AUSSI, D'AILLEURS.

SPLOTCH!

OFFICIER GLACE! NOUS APPROCHONS DE L'ORBITE DE DÉGAGEMENT!

TU M'EXCUSES, FAUT QUE JE CONDUISE CE CHAR À BŒUFS.

TU DEVRAIS T'APPROCHER DE LA FENÊTRE.

VOUS SAVEZ, ÇA NE M'IMPRESSIONNE PAS DE VOIR ECKMÜL D'EN HAUT! J'AI L'HABITUDE DE VOYAGER EN DRAGON, MOI!

HEING ?

LE TEMPS DE FRANCHIR LA PORTE ORBITALE POUR REJOINDRE LES CHAMPS ALÉATOIRES DE L'HYPERESPACE ...

NOUS PRENDRE RACCOURCI.

VOTRE MAGIE N'EST PAS TOTALEMENT ABSOLUE, SURTOUT ICI, LOIN DU MAGOHAMOTH.

VOUS POUVEZ FAIRE BEAUCOUP DE CHOSES, MAIS PAS TOUT.

EN RÉALITÉ, VOTRE CERVEAU UTILISE L'ÉNERGIE AMBIANTE POUR CRÉER UN FLUX QUI VA MODELER LA RÉALITÉ À VOTRE CONVENANCE ...

UN CRU DE 19589 DE LA XXIVème DYNASTIE, C'EST UNE TRÈS BONNE ANNÉE.

LE MAGOHAMOTH A MODIFIÉ VOTRE STRUCTURE MOLÉCULAIRE POUR VOUS RENDRE ENCORE PLUS PERMÉABLES À CES ÉNERGIES.

MAIS JE POSSÈDE LE MOYEN DE VOUS COUPER L'ACCÈS À L'ÉNERGIE.

SOOOLIS, LES VINS !

HEING ?

HEING ?

CELA CRÉE UNE SORTE DE CRYPTE AUTOUR DE NOUS. ON APPELLE ÇA, LA CRYPTE TONIQUE.

AVEC LA CRYPTE TONIQUE, PAS DE SUPER POUVOIRS !

BOULE DE POILS, PRENDS DES VERRES DANS LE BUFFET.

QUELQUE PART EN MOI EST IMPLANTÉ UN CRISTAL QUE J'ACTIVE À VOLONTÉ ET QUI CRÉE UNE BULLE CLOSE D'UNE TONICITÉ QUI EMPÊCHE TOUTE ÉNERGIE D'ALLER VERS VOUS.

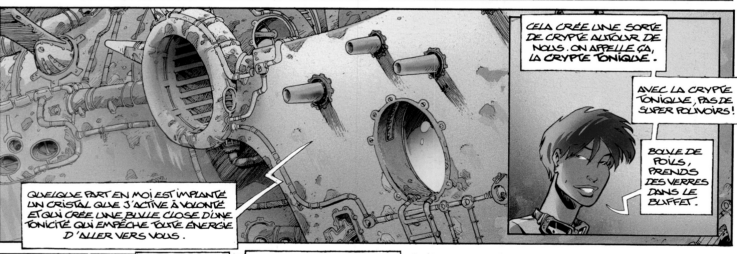

LÀ ?

KLANG !

GOTTFERDOM !

LANFEUST, TU AURAIS DÛ TE DOUTER QUE ÇA N'ALLAIT PAS ÊTRE SI FACILE ! WARF WARF WARF !

HÉBUS, RE-FERME ÇA TOUT DE SUITE !

BEN QUOI ? TU CROYAIS QUE J'ALLAIS TE LAISSER PARTIR COMME ÇA AVEC UNE POUFFE QUI T'APPELLE " MON PETIT COEUR " ?

?

CIXI !

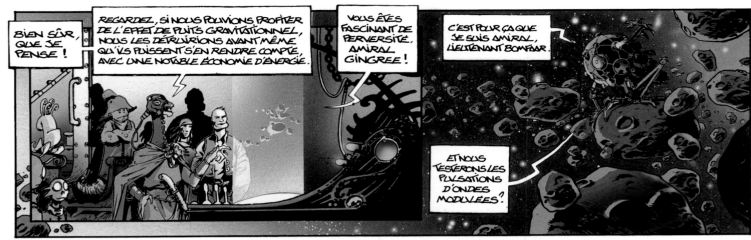

BIEN SÛR, QUE JE PENSE !

REGARDEZ, SI NOUS POUVIONS PROFITER DE L'EFFET DE PUITS GRAVITATIONNEL, NOUS LES DÉTRUIRIONS AVANT MÊME QU'ILS PUISSENT S'EN RENDRE COMPTE, AVEC UNE NOTABLE ÉCONOMIE D'ÉNERGIE.

VOUS ÊTES FASCINANT DE PERVERSITÉ, AMIRAL GINGREE !

C'EST POUR ÇA QUE JE SUIS AMIRAL, LIEUTENANT BOMBAAR.

ET NOUS TESTERONS LES PULSATIONS D'ONDES MODULÉES ?

CE MACHIN CENSÉ NEUTRALISER LES MEIRRIONIDES PAR LA PUCE DE SURVEILLANCE QU'ILS PORTENT TOUS SOUS LA PEAU ? JE N'Y CROIS GUÈRE !

LES CHERCHEURS D'ABRAXAS SONT CERTAINS QUE ÇA DOIT FONCTIONNER.

JE ME MÉFIE DES GADGETS TECHNOLOGIQUES, LIEUTENANT. JE PRÉFÈRE LA STRATÉGIE...

...ET LES GROS FLINGUES.

TAP!

SORTIE TEMPORAIRE D'HYPERESPACE EN POINT DE TRANSIT AVANT NOUVELLE PORTE, AGENT GLACE !

BIEN.

CELA SIGNIFIE QUE...

NOUS SORTIR RACCOURCI POUR CHANGER DIRECTION.

TU N'ES PAS AUSSI STUPIDE QUE TU EN AS L'AIR !

FAUT DIRE, L'ÊTRE AUTANT QUE TU EN AS L'AIR, ÇA FERAIT BEAUCOUP...

CHEZ LES TROLLS, IL SERAIT MÊME CLASSÉ INTELLIGENT.

LES VOILÀ, AMIRAL.

ASSEYEZ-VOUS. LA SORTIE ET LA RÉENTRÉE PEUVENT PROVOQUER UN LÉGER MOUVEMENT.

20

22

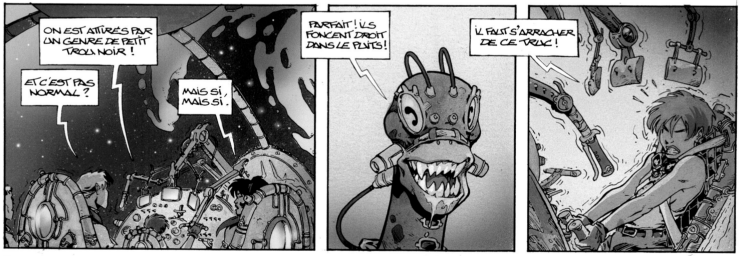

23

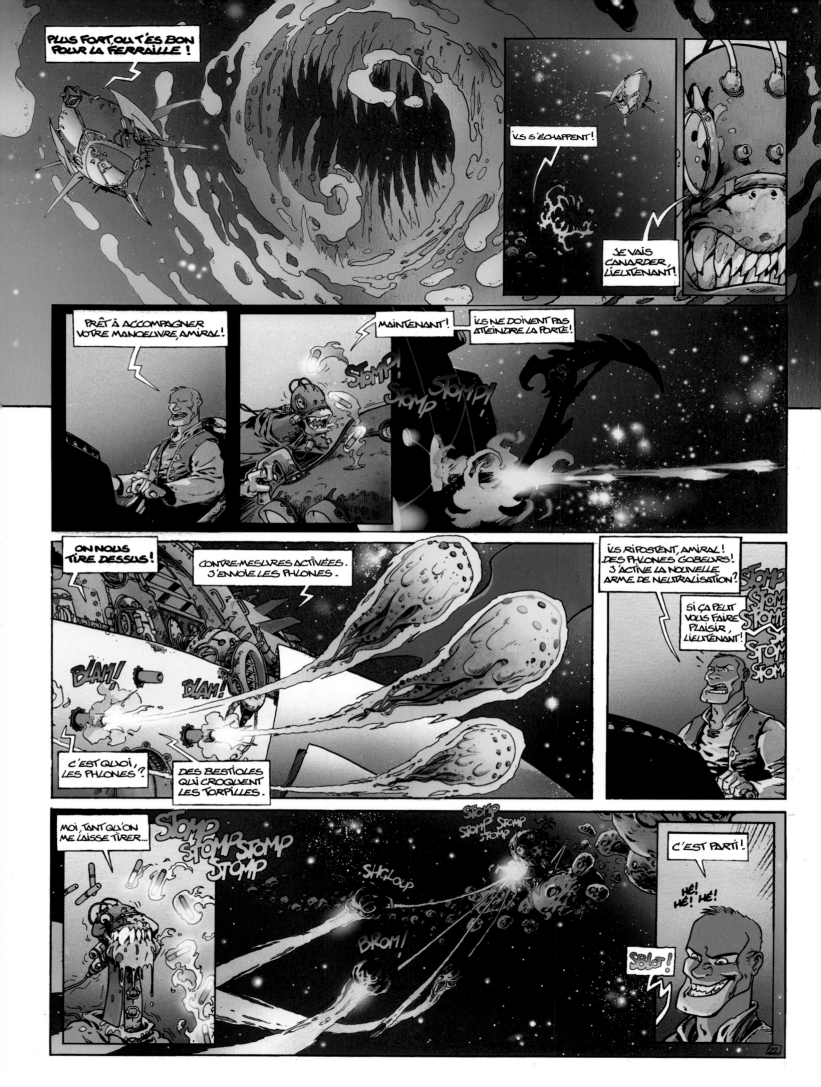

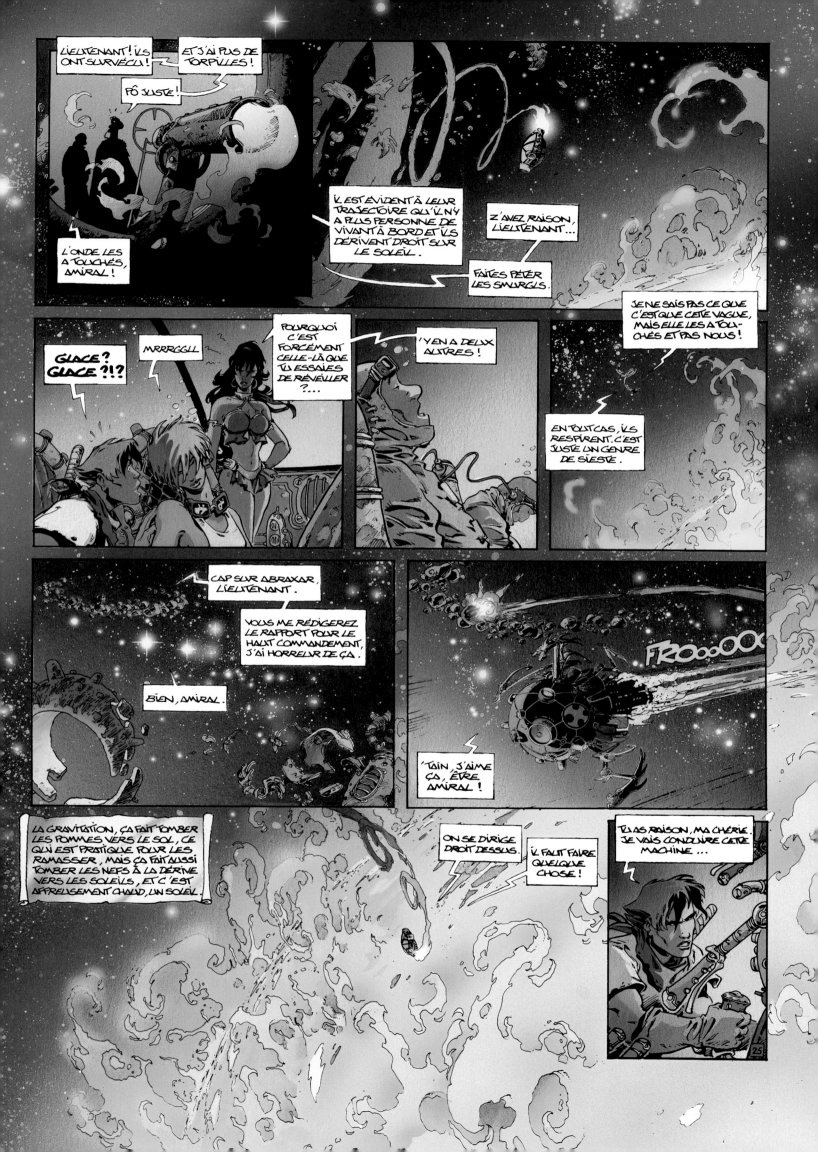

MAIS...

JE...

ATT...

ET SI...

ELIH...

AH, NON!.

LANFEUST! ARRÊTE IMMÉDIATE-MENT!

ZSHRUK! BLONK! CHTOUS!

ELIH...TOUT LE MONDE VA BIEN?

TU AS MÊME RÉUSSI À REMUER LES TRIPES DE CEUX QUI ÉTAIENT DANS LES POMMES!

TU ME RAPPELLERAS DE TE TUER, DÈS QU'ON AURA RETROUVÉ OÙ EST LE HAUT ET OÙ EST LE BAS.

?

LAISSE-MOI FAIRE, JE LE SENS BIEN, CE TRUC.

MAIS...

!

ATT..., ATTENDEZ!

ELLE REVIENT À ELLE!

CETTE...GNNN... NAVETTE NE PEUT PAS PASSER LES PORTES DE L'HYPERESPACE.

IL FAUT ACTIVER L'ORDINATEUR DE BORD POUR QU'IL...EXPLO-RE CE SYSTÈME SOLAIRE... ...COMMANDES VOCALES...

ORDI, T'AS COMPRIS?

GENTIL ORDI, T'AURAS UN OS.

BLIP PRVLOUT PLOP PLOP.

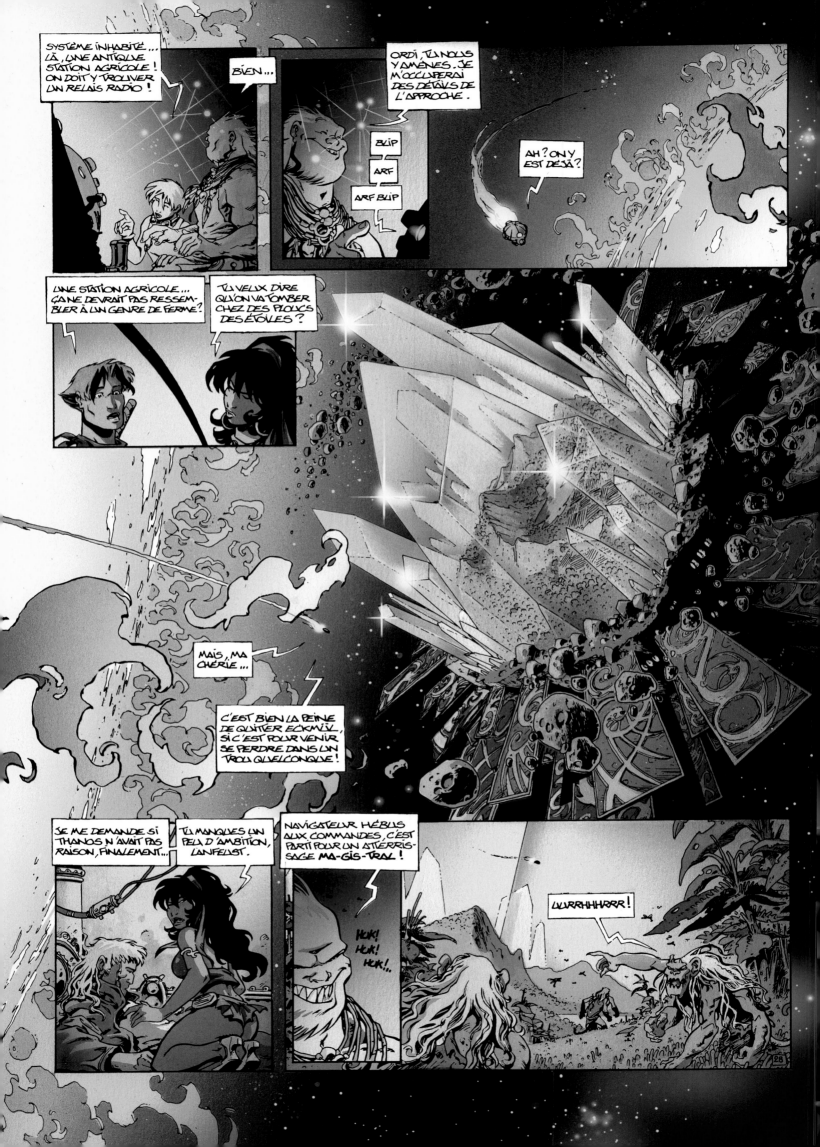

ÇA NE DOIT PAS ÊTRE BEAUCOUP PLUS COMPLIQUÉ QUE LE GRAPPIN...

TOUTES CES MACHINES ME PLAISENT BEAUCOUP!

DZIT!

WAF WAF BLIP

C'EST NORMAL, UN VAISSEAU QUI FAIT ARF ARF ET WOF WOF?

C'EST PAS PARCE QU'IL EST EN FER QU'IL EST FORCÉMENT TRÈS DIF-FÉRENT DES AUTRES DRAGONS!

RESTE À SAVOIR COMMENT PASSER À TRAVERS LA VERRIÈRE...

UN TROLL NE SE POSE PAS CE GENRE DE QUESTIONS.

IL FONCE ET...

VROUF!

IL PASSE.

ON A TRAVERSÉ LE VERRE ET IL NE S'EST PAS CASSÉ!

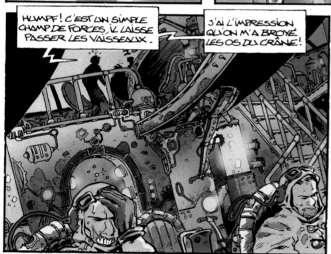

HUMPF! C'EST UN SIMPLE CHAMP DE FORCES, IL LAISSE PASSER LES VAISSEAUX.

J'AI L'IMPRESSION QU'ON M'A BROYÉ LES OS DU CRÂNE!

GLACE! ÇA VA?

BRAVE CH'TIOT VAISSEAU! MAINTENANT, TU DESCENDS TOUT DROIT ET TU NOUS POSES TOUT EN DOUCEUR. NOUS, FAUT QU'ON S'OCCUPE DES MALVIETTES.

ARF ARF ARF!

JE NE COMPRENDS PAS POURQUOI NOUS AVONS PERDU CONNAISSAN-CE ET PAS VOUS! C'EST UN MYSTÈRE!

POUR THANOS, C'EST CLAIR! IL A VOULU SORTIR À COUPS DE TÊTE, MAIS LE VAISSEAU A TENU.

PAR CONTRE, C'EST INQUIÉTANT QU'IL NE REVIENNE PAS À LUI...

LANFEUST, TU POURRAIS UTILISER TON POUVOIR POUR LE SOIGNER?

PÔ ENVIE.

UN PEU D'AIR FRAIS FERA DU BIEN À TOUT LE MONDE!

VAISSEAU, OUVRE LES PORTES!

KAÏ! KAÏ!

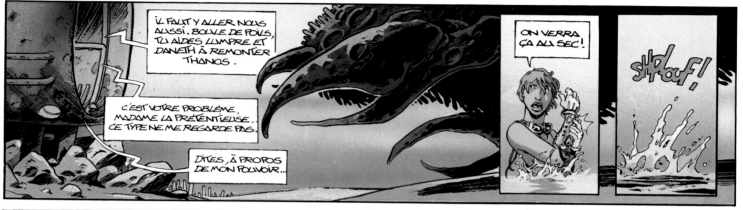

DE L'AIR....

QU'EST-CE QUE..., JE FAISAIS DANS L'EAU ?!?

HOUMMPF !

C'EST RIEN, ON A TOUS EU UN PETIT COUP DE FLOU. MAIS C'EST PASSÉ, MAINTENANT.

HÉBUS A ÉTÉ DÉVORÉ ! IL FAUT QUE J'Y RETOURNE !

MAIS....

LANFEUST ! SORS DE LÀ !!

ATTENTION !

EYYHHH !

IL ATTAQUE SUR TERRE !

CANCRELAT !

SPLTCH !!

AARRH !

MILLE ENCLUMES D'ARGILE !

ON DIRAIT QU'ELLE AGONISE !

UN PROBLÈME DE DIGESTION ?

BROLOM ! BLOM !

SPROCH !!

HMPF.

Z'ÊTES SAUVÉES.

HUK ! HUK ! HUK !

MAIS JE L'AI VU PASSER ENTRE LES MÂCHOIRES DU MONSTRE ! COMMENT A-T-IL PU ..., ?!?

QUELQU'UN A DE LA MAYONNAISE ?

J'AI FILÉ AU FOND TROP VITE POUR QU'IL PUISSE ME BROYER.

ET COMME J'AI PLUS DE DENTS QUE SON ESTOMAC, IL A PERDU !

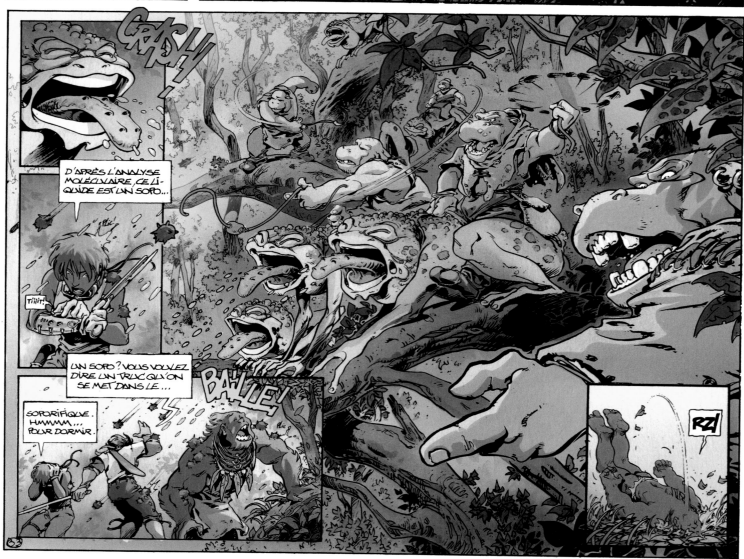

GROOAAAR!

PLUS HAUT! PLUS HAUT!

EYH!

HIII!

AU SECOURS!

FUYONS!

VIIIITE!

À L'AIDE!

TOUT VA BIEN, CE SONT DES BLONGOS!

DES BLONGOS ?!?

CE SONT DE PAISIBLES CRÉATURES AUX GRANDS TALENTS AGRICOLES, ON EN PEUPLE SOUVENT LES STATIONS DE CE TYPE.

POURQUOI ILS S'ENVOLENT ?

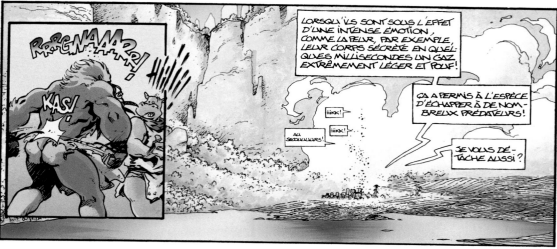

RRRGNAAAR!

KASI!

LORSQU'ILS SONT SOUS L'EFFET D'UNE INTENSE ÉMOTION, COMME LA PEUR, PAR EXEMPLE, LEUR CORPS SÉCRÈTE EN QUEL-QUES MILLISECONDES UN GAZ EXTRÊMEMENT LÉGER ET POUF!

ÇA A PERMIS À L'ESPÈCE D'ÉCHAPPER À DE NOM-BREUX PRÉDATEURS!

IIIKK!

AU SECOUUUUURS!

IIIKK!

JE VOUS DÉ-TACHE AUSSI ?

GARDE LA BOUCHE BIEN OUVERTE, ON SE DÉBROUILLE.

KRAK KRAK

EN HOLI HAS, HAUHUN HIGNE DE HIHI.

KRAK

QUOI ?

EN TOUT CAS, AUCUN SIGNE DE CIXI.

?

MAIS... REGARDEZ!

UN ORGNOBI!

C'EST GRAVE ?

?

?

IL DOIT EN RESTER MOINS DE DIX DANS LA GALAXIE ENTIÈRE! C'EST UNE DES PLUS ANCIENNES RACES... ET CELUI-CI EST DANS UN BLOC DE STASE!

!

NE TOUCHEZ PAS AU PROTECTEUR SACRÉ!

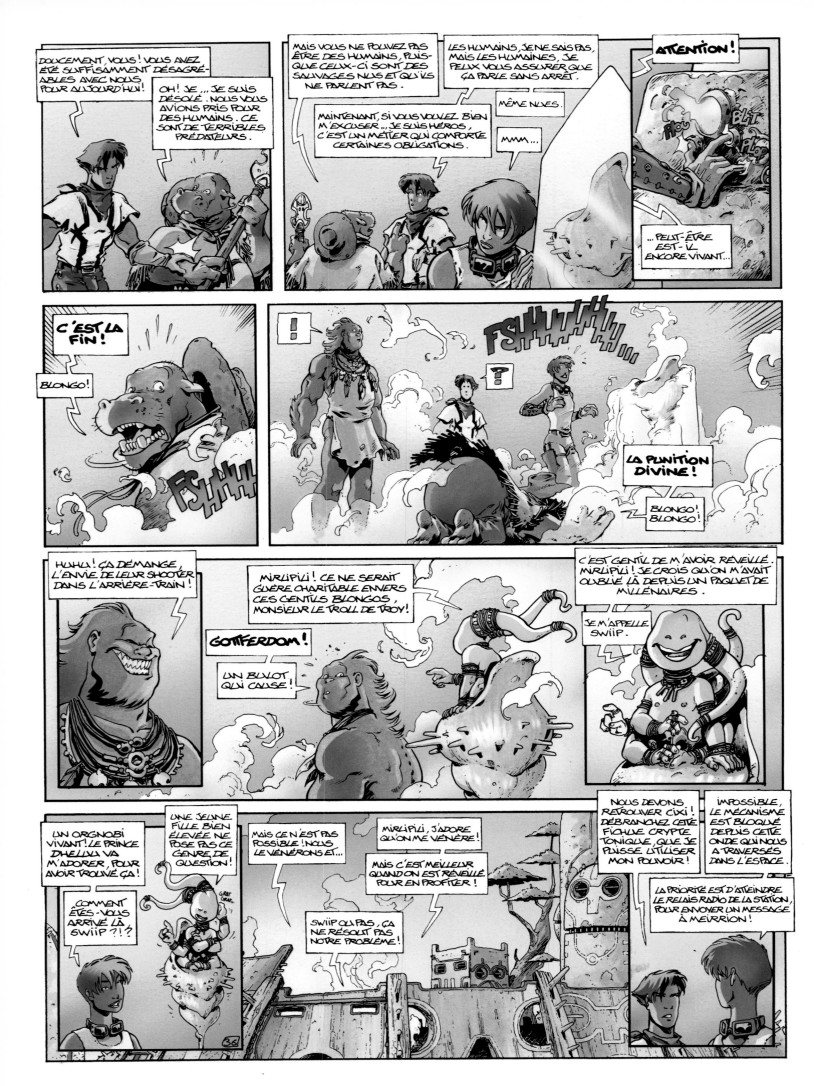

DOUCEMENT, VOUS! VOUS AVEZ ÉTÉ SUFFISAMMENT DÉSAGRÉABLES AVEC NOUS POUR AUJOURD'HUI!

OH! JE ... JE SUIS DÉSOLÉ. NOUS VOUS AVIONS PRIS POUR DES HUMAINS. CE SONT DE TERRIBLES PRÉDATEURS.

MAIS VOUS NE POUVEZ PAS ÊTRE DES HUMAINS, PUISQUE CEUX-CI SONT DES SAUVAGES NUS ET QU'ILS NE PARLENT PAS.

MAINTENANT, SI VOUS VOULEZ BIEN M'EXCUSER ... JE SUIS HÉROS, C'EST UN MÉTIER QUI COMPORTE CERTAINES OBLIGATIONS.

LES HUMAINS, JE NE SAIS PAS, MAIS LES HUMAINES, JE PEUX VOUS ASSURER QUE ÇA PARLE SANS ARRÊT.

MÊME NUES.

MMM...

ATTENTION!

... PEUT-ÊTRE EST-IL ENCORE VIVANT...

C'EST LA FIN!

BLONGO!

FSHHHH

FSHHHHHH...

LA PUNITION DIVINE!

BLONGO! BLONGO!

HUHU! ÇA DÉMANGE, L'ENVIE DE LEUR SHOOTER DANS L'ARRIÈRE-TRAIN!

MIRLIPILI! CE NE SERAIT GUÈRE CHARITABLE ENVERS CES GENTILS BLONGOS, MONSIEUR LE TROLL DE TROY!

GOTTFERDOM!

UN BULOT QUI CAUSE!

C'EST GENTIL DE M'AVOIR RÉVEILLÉ. MIRLIPILI! JE CROIS QU'ON M'AVAIT OUBLIÉ LÀ DEPUIS UN PAQUET DE MILLÉNAIRES.

JE M'APPELLE SWIIP.

UN ORGNOBI VIVANT! LE PRINCE DHELLU VA M'ADORER, POUR AVOIR TROUVÉ ÇA!

COMMENT ÊTES-VOUS ARRIVÉ LÀ SWIIP ?!?

UNE JEUNE FILLE BIEN ÉLEVÉE NE POSE PAS CE GENRE DE QUESTION!

GRAT GRAT...

MAIS CE N'EST PAS POSSIBLE! NOUS LE VÉNÉRONS ET...

MIRLIPILI, J'ADORE QU'ON ME VÉNÈRE.

MAIS C'EST MEILLEUR QUAND ON EST RÉVEILLÉ POUR EN PROFITER!

SWIIP OU PAS, ÇA NE RÉSOUT PAS NOTRE PROBLÈME!

NOUS DEVONS RETROUVER CIXI! DÉBRANCHEZ CETTE FICHUE CRYPTE TONIQUE, QUE JE PUISSE UTILISER MON POUVOIR!

IMPOSSIBLE, LE MÉCANISME EST BLOQUÉ DEPUIS CETTE ONDE QUI NOUS A TRAVERSÉS DANS L'ESPACE.

LA PRIORITÉ EST D'ATTEINDRE LE RELAIS RADIO DE LA STATION, POUR ENVOYER UN MESSAGE À MEIRRION!

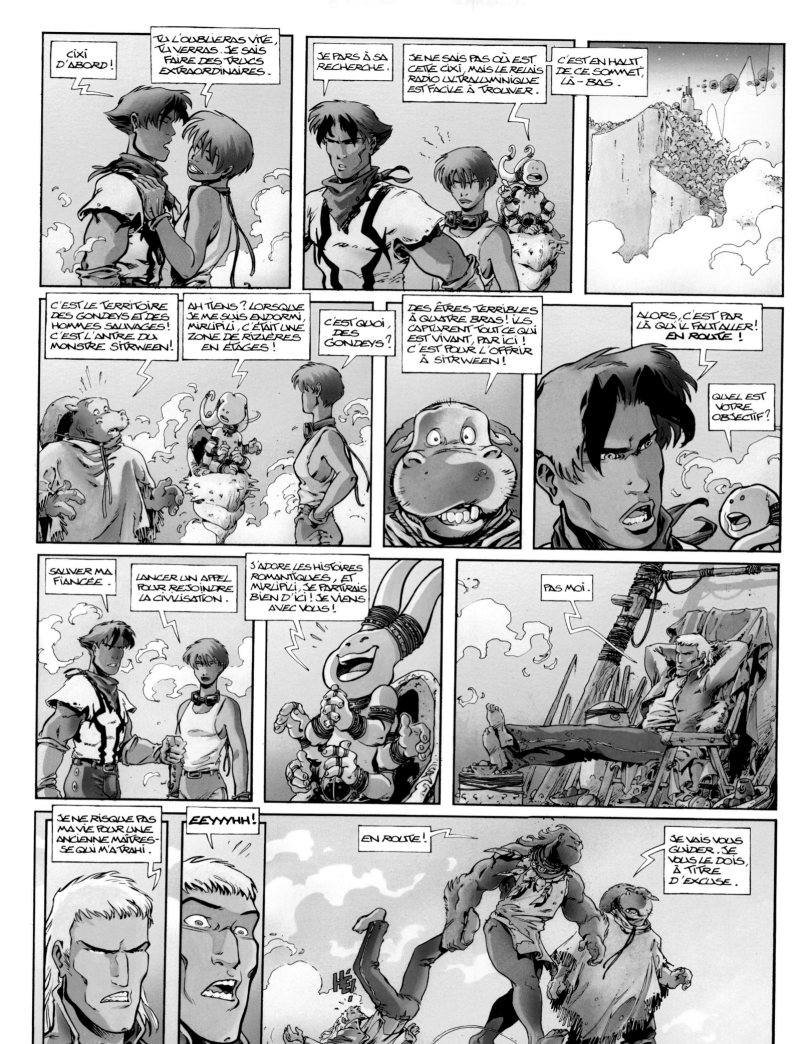

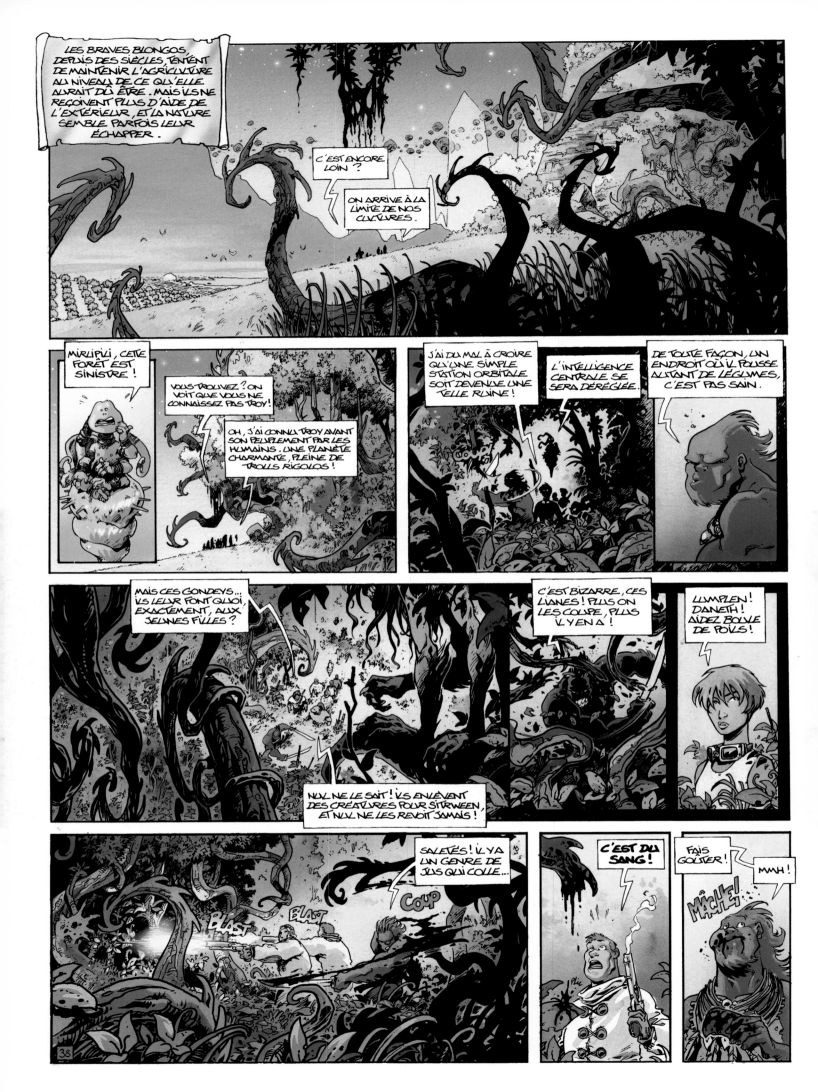

41

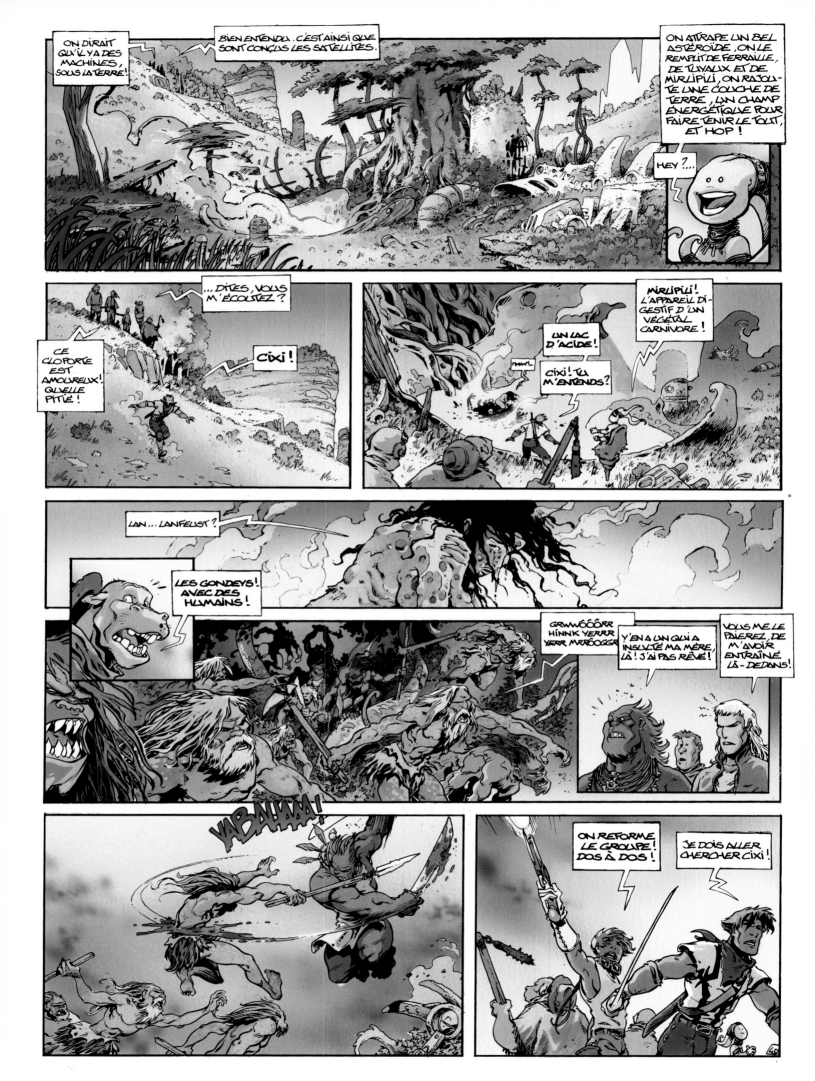

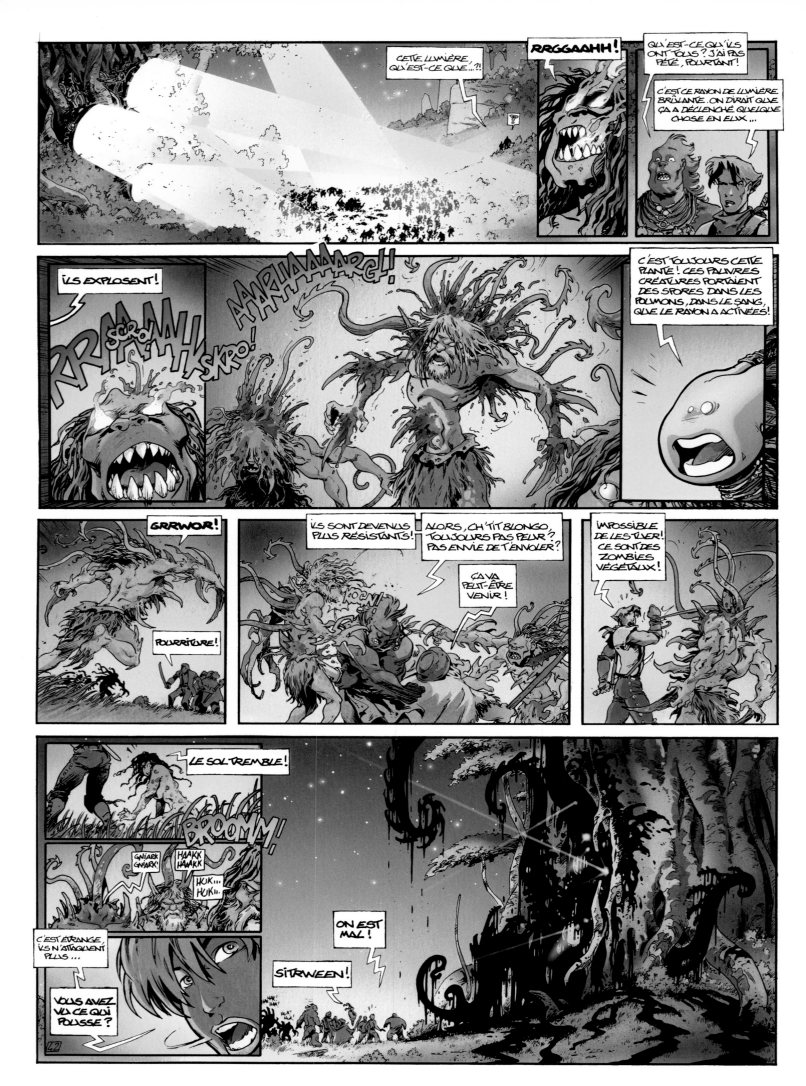

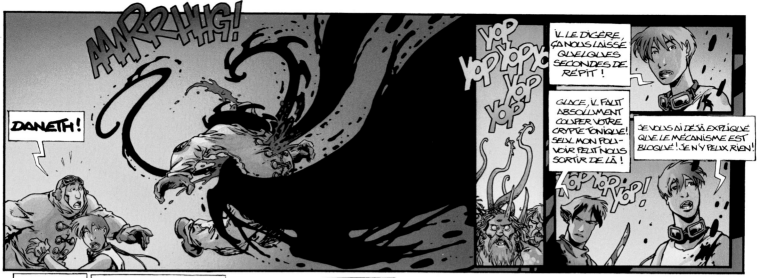

AAARRHHG!

DANETH!

IL LE DIGÈRE. ÇA NOUS LAISSE QUELQUES SECONDES DE RÉPIT!

GLACE, IL FAUT ABSOLUMENT COUPER VOTRE CRYPTE TONIQUE! SEUL MON POUVOIR PEUT NOUS SORTIR DE LÀ!

JE VOUS AI DÉJÀ EXPLIQUÉ QUE LE MÉCANISME EST BLOQUÉ! JE N'Y PEUX RIEN!

YOP YOP YOP YO YOP YOP

QUELLE EST LA PORTÉE DE LA CRYPTE?

QUELQUES CENTAINES DE COUDÉES... MAIS MA MISSION M'INTERDIT DE M'ÉLOIGNER DE LANFEUST!

DE TOUTE FAÇON, NOUS SOMMES ENCERCLÉS.

J'AI TROUVÉ!

BLONGO, ACCROCHEZ-VOUS À GLACE!

MAIS...

OH?

LE PETIT CLOPORTE VEUT ÉLOIGNER GLACE PAR LE HAUT! ÇA PEUT MARCHER... JE DOIS ME TENIR PRÊT!

DÉFONCE-TOI, IL VA FALLOIR LUI FAIRE LA PEUR DE SA VIE!

T'INQUIÈTE, IL N'AURA PLUS JAMAIS LE HOQUET!

HUM HUM!

ET ALORS?

5, 4, 3 2, 1...

?

VVAAARRR!

AAAHHHHHHH...

C'EST PEUT-ÊTRE LE PLUS COURAGEUX DES BLONGOS, MAIS JE SUIS LE PLUS TERRIFIANT DES TROLLS!

J'IGNORE JUSQU'OÙ UN BLONGO PEUT MONTER! JE NE SENS TOUJOURS PAS MON POUVOIR...

AARRHHH!

LANFEUST!

YOP YOP YOP YOP YOP

UNE BELLE BASTON, LANFEUST!

ON R'MET ÇA?

J'AURAIS PRÉFÉRÉ QU'ON SE RELÈVE TOUS, MÊME DANETH.

TOUT ÇA NE RÉPONDAIT QU'À UN UNIQUE MIRLIPILI ORGANISME VÉGÉTAL, LE MONSTRUEUX SITWREEN!

MAIS COMMENT CETTE HORREUR A-T-ELLE PU VOIR LE JOUR?

UNE ABERRATION DE L'ORDINATEUR CENTRAL. RÉGLÉ POUR UNE STATION AGRICOLE, IL A CHERCHÉ À CRÉER UN VÉGÉTAL DE PLUS EN PLUS PERFORMANT.

LE NOM LUI-MÊME EST UNE CRÉATION DE L'ORDI, MIRLIPILI! SITWREEN EST CERTAINEMENT ISSU D'UNE VIEILLE LÉGENDE, CELLE DE LA CITROUILLE HALLOWEEN.

MON ŒIL... IL M'A BRÛLÉ JUSQU'AU CERVEAU...

REGARDEZ LANFEUST! SA JAMBE! C'EST EXTRAORDINAIRE! IL SE RÉGÉNÈRE LUI-MÊME!

MIRLIPILI! REMARQUABLE ÉCHANGE MOLÉCULAIRE!

PFFT! C'EST RIEN, ÇA! UNE FOIS, IL SE FAISAIT POUSSER DES BRAS ET DES JAMBES, PLUS VITE QU'ON NE LES LUI COUPAIT!

BON, FAUDRAIT PAS OUBLIER LA PETITE, QU'ELLE PROFITE DU TRAITEMENT...

CIXI! MON AMOUR! JE VAIS PRENDRE SOIN DE TOI...

OH LANFEUST! ARHHH... TU...

TU POURRAIS... ARRHHH... ME FAIRE LES CHEVEUX TRÈS LONGS?

ILS SONT MIGNONS, HEIN?

C'EST AUSSI BIEN QUE MADAME GLACE NE VOIE PAS ÇA. QUELQUE CHOSE ME DIT QU'ELLE N'AIMERAIT PAS!

DITES, ON N'AVAIT PAS UN MESSAGE MIRLIPILI RADIO ULTRALUMINIQUE À ENVOYER? L'ÉMETTEUR N'EST PLUS TRÈS LOIN, MAINTENANT QUE LA VOIE EST LIBRE.

BEN, ON VA ATTENDRE QUE LES DEUX AUTRES REDESCENDENT...